L'AUTOMNE

ISBN n° 2-7320 3044-9
Imprimé en Italie

Silverio Pisu
illustrations de Carmen Marchese et Emanuela Collini
texte français de Paulette Michel

Editions du Sorbier
51, rue Barrault
75013 Paris

C'est l'automne. Les rayons du soleil sont moins chauds. Le papillon grelotte de froid.

Beaucoup de choses sont en train de changer. Surtout les couleurs. Dans cette région, vivent des hommes, des animaux, des plantes. Il y a une ferme, des champs cultivés, un jardin potager, un petit bois et un étang. Les feuilles jaunissent, beaucoup deviennent d'un rouge sombre, et le rouge, c'est justement la tonalité de l'automne.

L'automne est la meilleure saison pour faire des cerfs-volants. Il arrive souvent qu'il y ait du vent. Les roseaux secs de l'étang fournissent une bonne armature au cerf-volant, et les feuilles tombées du bouleau peuvent être tressées pour former de longues queues stabilisatrices. Dans le ciel limpide, dans le soleil pâle, le cerf-volant s'élève avec le vent en se découpant sur les teintes chatoyantes des arbres. Comme c'est joli !

On dirait que l'automne est la saison du rouge. Voici un champignon vraiment dangereux qui

se nomme l'Amanite tue-mouche. De tous les champignons que l'on trouve en cette saison,

les amanites sont les plus vénéneux. On ne le dirait pas de celle-ci, avec sa tête rouge parsemée de points blancs. Et pourtant, à elle seule, elle fait plus de victimes que toutes les vipères d'Europe. Attention ! On ne plaisante pas avec les champignons. Il faut bien reconnaître les vénéneux de ceux qui sont comestibles. Et s'il y a le moindre doute, on doit toujours s'adresser à un spécialiste qui examinera les champignons cueillis.

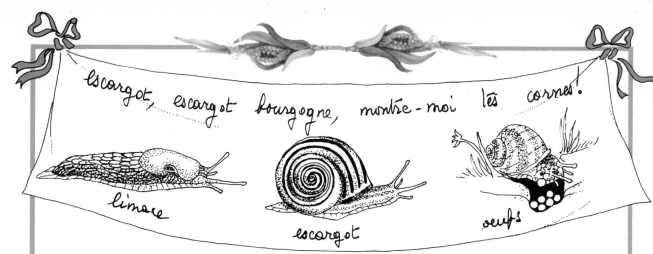

escargot, escargot bourgogne, montre-moi les cornes!

limace

escargot

oeufs

Au bord de la mer, on peut voir et ramasser des coquillages. Il y en a aussi à la campagne. Ce sont les escargots qui appartiennent également à la grande famille des mollusques. On y voit aussi des limaces et limaçons, sans coquilles, qui font partie de la famille des limacidés. Le jardinier en sait quelque chose, car pour lui, les limaces peuvent représenter un vrai fléau. Lorsqu'il y en a un grand nombre, elles peuvent dévorer un potager entier en très peu de temps.

La limace du potager est toujours affamée. Mais

les ennemis des limaces

la couleuvre

le hérisson

le rat des champs

le jardinier sait comment se défendre devant cette vorace infatigable, en la faisant attaquer par ses ennemis : la couleuvre et le hérisson.

La couleuvre paresseuse sort difficilement de son trou pour se transporter dans les creux du petit mur longeant le potager.

Mais le hérisson vient volontiers dans un autre territoire de chasse que le sien.

LA TANIÈRE DU HÉRISSON

La grive apporte une aide appréciable pour lutter contre les escargots des jardins. La grive les repère, descend en piqué et se pose à côté d'eux. Sautillant à pieds joints, elle s'approche et brusquement, les prend dans son bec et s'envole. Près de son nid, la grive choisit une pierre ronde sur laquelle elle frappe plusieurs fois l'escargot pour casser la coquille. On peut reconnaître ces pierres car elles sont recouvertes de mucosités, cette bave argentée que les escargots émettent continuellement pour avancer. On peut aussi retrouver les restes de coquilles répandues autour.

Le raisin est le symbole de l'automne. La grive, comme plusieurs autres oiseaux, s'en régale. Une petite araignée a tissé sa toile entre les branches de la vigne. Les raisins, par leur odeur sucrée, attirent de nombreux insectes, et l'araignée sait que beaucoup d'entre eux finiront dans son filet.

Le loir est dans le pommier. Gare à lui, si le jardinier le voit dévorer des pommes. Mais le loir continue de grignoter à toute vitesse. En cette saison, les loirs cherchent à manger le plus possible. Ils se gavent de fruits, d'insectes, de baies, de noisettes... Les premières neiges trouveront le loir déjà endormi. Il n'utilise pas pour son sommeil d'hiver les trous des arbres dans lesquels il a vécu tout l'été. Comme il est devenu bien gras à l'automne, il creuse au pied d'un arbre une longue galerie située jusqu'à soixante centimètres de profondeur, se recroqueville et y fait un somme qui va durer

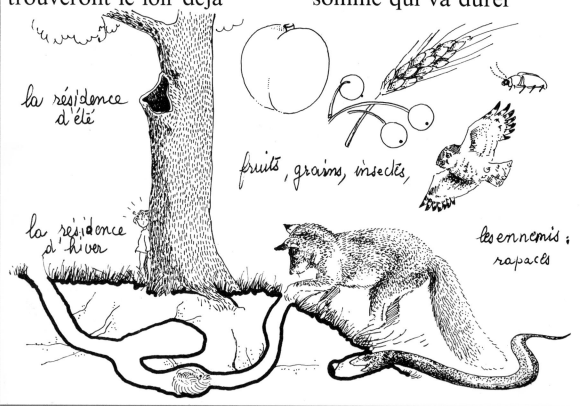

la résidence d'été

fruits, grains, insectes,

la résidence d'hiver

les ennemis : rapaces

jusqu'au mois d'avril
prochain. Sa longue
queue lui sert de
couverture. Il ressemble
alors à une touffe de
poils et rien de plus.
Pendant l'hiver, le
loir maigrit

énormément, et seuls
ceux qui ont beaucoup
mangé à l'automne
survivront à
l'hibernation.
C'est pourquoi le loir
dévore des pommes !

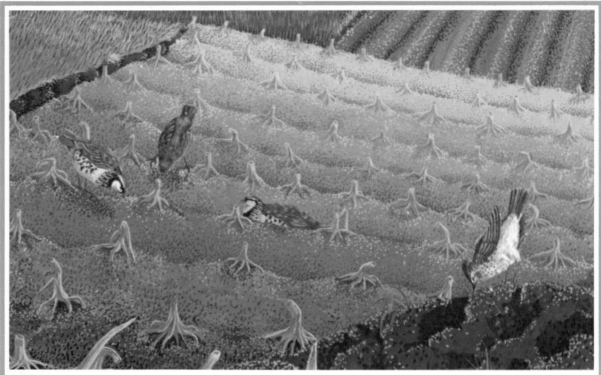

L'aube est silencieuse. Et pourtant, le champ de maïs retourné à demi est plein d'oiseaux de deux

espèces. Les perdrix, installées à côté des chaumes de maïs, les alouettes, entre les mottes de terre fraîche. Les perdrix sont en train de glaner, comme à leur habitude. Glaner, c'est-à-dire ramasser les semences et les grains qui tombent inévitablement durant les opérations de la moisson. Les perdrix

trouvent dans les chaumes les derniers grains de maïs. Les alouettes qui préfèrent les vermisseaux, les larves et tous les insectes vivant dans la terre, cherchent leur nourriture dans les endroits où la terre vient d'être retournée et où la charrue a porté à la

surface toutes ces bestioles qui constituent, pour les alouettes, la nourriture la plus exquise.

Les animaux se nourrissent de façon différente selon les saisons. Le loir, par exemple, mange les fruits mûrs à l'automne, alors qu'au printemps, il dévore des bourgeons frais et succulents. Les alouettes et les perdrix changent aussi le type de leur alimentation, selon les opportunités qu'offre chaque saison.

L'UNION FAIT LA FORCE !

Voici les cochons. Ce sont de terribles goinfres. Ils dévorent tout ce qui se trouve devant leur groin : herbes, champignons, baies et aussi des petits animaux comme les insectes, larves, limaces, vers, grenouilles, salamandres, serpents... Ils passent la plus grande partie de leur temps à se gaver de nourriture, et puis ils vont faire la sieste dans la boue. Cette drôle d'habitude remonte au temps où leurs ancêtres sangliers circulaient librement dans les bois. Ils étaient alors infestés de parasites qui s'installaient entre les poils ras de leur peau grasse. Alors les cochons allaient se rouler dans la fange jusqu'à obtenir une couche d'argile qui emprisonnait les parasites. Puis, ils allaient se frotter contre

des troncs d'arbres, se libérant ainsi de la boue et des petits animaux.

C'est le cas aujourd'hui encore, des sangliers, cousins sauvages des cochons.
Les cochons domestiques n'en ont plus besoin, car le paysan prend bien soin de les débarrasser des

parasites, mais l'habitude leur en est restée, et la boue les attire comme autrefois.

Après la moisson, les épis de maïs sont accrochés près de la maison et sèchent au-dehors.
Le maïs est utilisé dans l'alimentation des hommes et des animaux. Le maïs ne peut sécher qu'à l'air libre, autrement, il pourrirait et serait alors inutilisable.

L'automne est la saison de migration des animaux, mais tous ne partent pas vers des pays lointains. Certains font des migrations minimes. Les souris de campagne, par exemple, délaissent en automne les champs et les prés et émigrent à l'intérieur des maisons. Elles sont futées, car entre les greniers, garde-manger et étables, elles trouvent toujours quelque chose à grignoter même si, au-dehors, c'est la tempête.

Les vaches et les
veaux émigrent
aussi à leur façon. Ils
ont passé l'été dans les
pâturages de montagne
et en automne, ils

reviennent en plaine, à
leurs étables, pour y
rester au chaud. Ce
voyage ne s'appelle pas
migration, mais
transhumance. Si les

pâturages de montagne
sont près de leurs
quartiers d'hiver, les
bovins font le voyage à
pied, de leur démarche

lente. Si au contraire, le
voyage est long, ils sont
transportés en camion.

En Amérique, la
transhumance se
fait en avion, parce que

là-bas, les plaines sont
très grandes et les
montagnes très loin.

une carte
de la lointaine
Amérique!

En automne, on ramasse les fruits du travail de toute l'année et on commence déjà à penser à l'année suivante.

Il y a beaucoup à faire : labourer, vendanger, cueillir les pommes et les autres fruits de la saison, semer le blé.

C'est ce qu'attend le lièvre qui est très friand de grains. A la vérité, le lièvre apprécie tout ce que l'homme sème ou plante. Cependant, il reste caché, ne se montre pas à l'homme. Il sait par expérience, qu'il peut être la cible des fusils.

Le geai s'occupe aussi des grains à sa façon. Mais il fait les choses en grand. Il "plante" directement les chênes. Le geai porte un gland dans son bec. Ce gland est la semence du chêne. Le geai l'enterre. Peut-être qu'un bel arbre poussera dans quelques années à cet endroit. Mais la peine du geai est presque toujours inutile. A peine une pousse naît-elle, prête à devenir un arbre, qu'un lièvre ou un daim passe par là et la dévore.

Voici une collection de graines. Il y en a de très jolies. Mais il est difficile de les conserver.

Ce ne sont pas des objets morts, mais les porteurs de la vie. Au printemps, ces graines auront germé.

Bardane : graines comprenant de nombreux piquants. Très adaptées pour s'enchevêtrer dans le poil de différents animaux qui les supportent jusqu'à ce que cela devienne trop agaçant. Alors, ils s'en libèrent, et la nouvelle plante poussera n'importe où.

Aubépine : les animaux mangent ses fruits qui sont doux et ont beaucoup de goût, et en avalent les grains. La nouvelle aubépine poussera là où l'animal laissera ses excréments. Elle aura ainsi le fumier à sa disposition.

aubépine

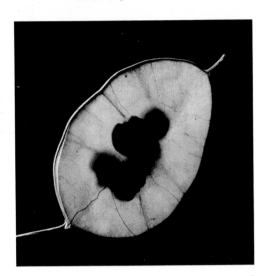

Monnaie de pape : c'est une feuille qui est en même temps un étui porte-grains. Il suffit d'un peu de vent et l'étui s'envole. C'est une façon de porter les grains plus loin, et d'éviter que les nouveaux arbustes

Géranium sauvage : quand les semences arrivent à maturation, l'enveloppe dans laquelle elles sont conservées explose comme une petite bombe, et elles sont répandues alentour.

géranium
sauvage

croissent attachés l'un à l'autre.

Erable : quand les graines se détachent de l'arbre, elles tombent à terre en tournant sur elles-mêmes et se déposent dans la position appropriée pour germer.

Le hérisson jouit à l'automne de longues soirées calmes. Il se promène à son habitude à la recherche de fruits tombés, de limaces, d'insectes, de champignons... La maman

hérisson, absent pendant la période de sevrage. Les hérissons ne se préoccupent pas d'amasser de la nourriture pour

hérisson renvoie ses petits lorsqu'ils sont sevrés et retrouve alors papa

l'hiver. Ils se contentent d'inspecter les tanières abandonnées par d'autres animaux et de les occuper. Au contraire, les souris,les campagnols, les écureuils s'affairent avec peine à

remplir leurs réserves. Le hérisson lui, se contente de manger simplement tout ce qu'il trouve, même des olives dont il nettoie soigneusement le noyau. Quand la température baissera au-dessous d'un certain degré, le hérisson deviendra de plus en plus somnolent, et un jour, il s'endormira en mastiquant la dernière baie et passera l'hiver sous les feuilles sèches d'un quelconque buisson.

Aujourd'hui, les hirondelles vont s'envoler. Il règne une grande agitation, car les jeunes, nées cette année, ne restent pas en place, et attendent avec impatience le signal du départ.

Les hirondelles voleront pendant des jours et des jours, des nuits et des

nuits, et toujours plus vers le Sud.

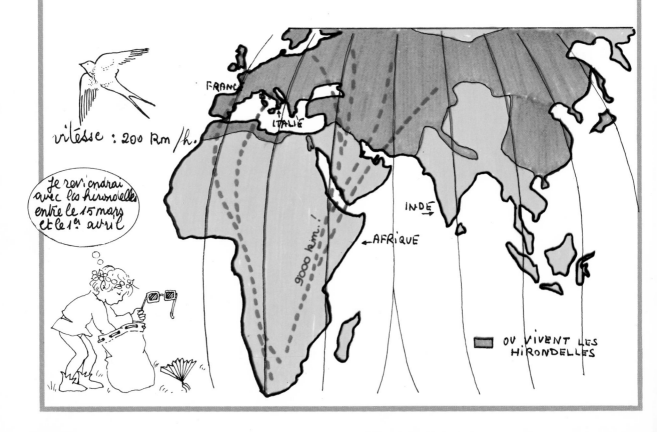

Certaines rejoindront
directement le sud de
l'Afrique. Elles se sont
maintenant toutes
envolées. Le ciel au-
dessus de la ferme est
désormais vide et
silencieux.

A côté de l'étang
une grenouille va
s'enfouir dans la vase
pour affronter l'hiver.
Les chouettes se cachent
dans les bois. La
chouette dort en

attendant la nuit dans le
creux d'un arbre. Le feu
brûle dans la cheminé de
la ferme.

Les hirondelles sont loin à présent. Un geai effrayé s'envole, pendant que bondit un renard qui le guettait et qui est furieux de ne pas avoir pu l'attraper.

SALUT!

calendrier

pour faire un cerf-volant

Ce cerf-volant est fait avec du papier d'emballage, bien adapté aux vents forts de l'automne. Plus la corde sera longue, plus le cerf-volant sera stable au vent.

Pour transformer le suc du raisin (le moût) en vin, il faut un minuscule organisme, une levure qui transforme le sucre en alcool , du nom de Saccaromi Elissoide qui plonge dans le moût et le transforme en vin.

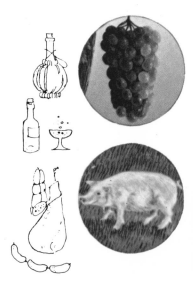

Le paysan tue le cochon en automne, et prépare les délicieux jambons, saucisses, boudins.

pin   hêtre

Les arbres perdent leurs feuilles. Pas tous cependant. Les arbres à aiguilles sont verts toute l'année.
Les feuilles du pin, en exposant une moindre surface à l'air, résistent mieux au froid.
Par contre, les feuilles du hêtre, si légères, si fines, gêlent et meurent en hiver.

Le parasite vit au profit des autres. Chaque animal a ses parasites. Ces insectes passent rarement d'une espèce animale à une autre : les puces des chats ne vivent pas sur les chiens, les poux des zèbres n'aiment pas les chevaux, etc.

Les animaux qui se nourrissent exclusivement du lait maternel dans la première partie de leur vie, s'appellent des mammifères. Quand un petit chien ou un petit hérisson commence à se nourrir d'autre chose, il entre dans sa période de sevrage.

Quand beaucoup d'oiseaux volent ensemble, on parle d'une ''volée''. Pendant la migration, les volées partent compactes et nombreuses. Les canards, hérons et oies sauvages forment des bandes très ordonnées en forme de triangles avec, à l'avant le chef de la ''bande''.

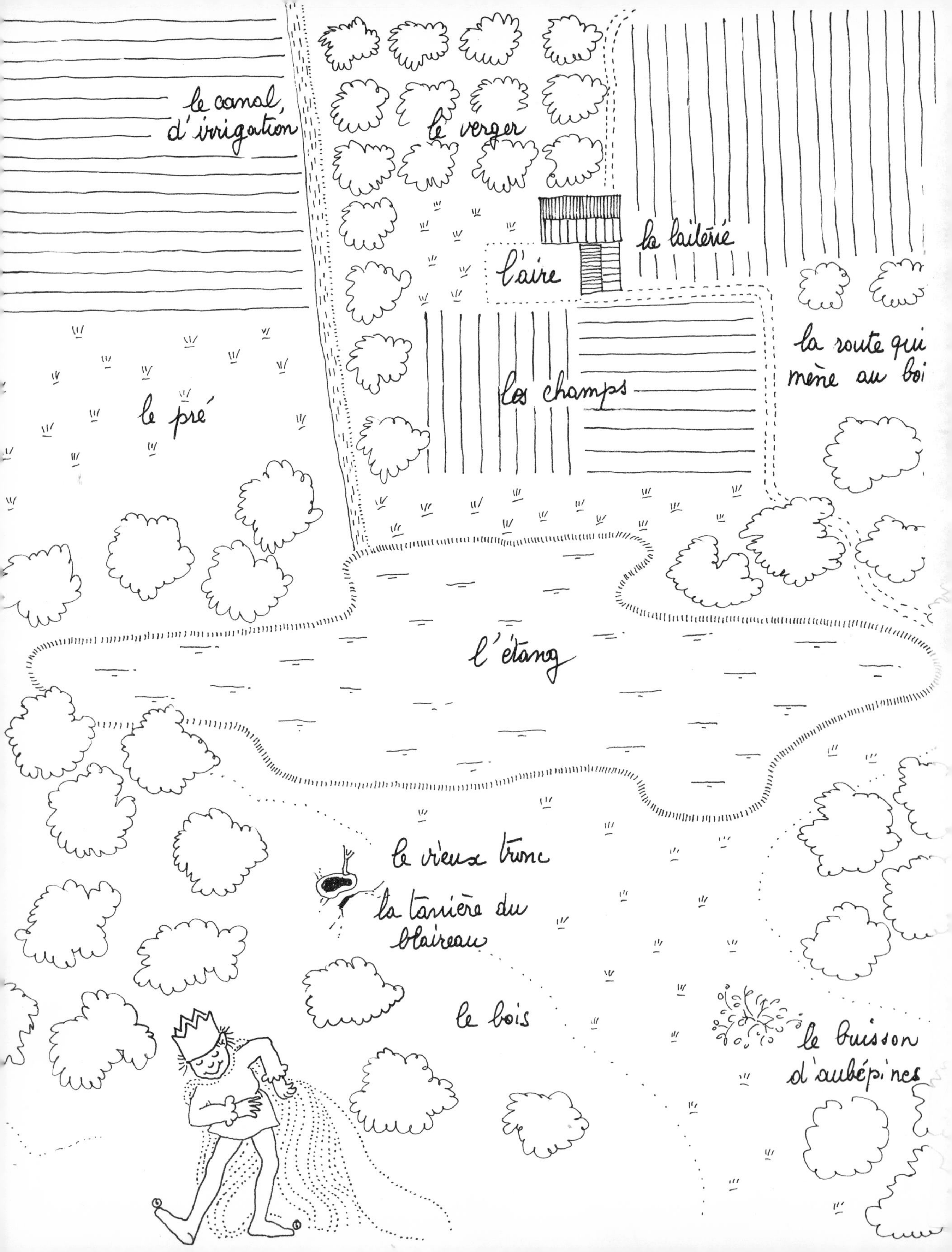

le canal, d'irrigation

le verger

la laiterie

l'aire

les champs

la route qui mène au bois

le pré

l'étang

le vieux tronc

la tanière du blaireau

le bois

le buisson d'aubépines